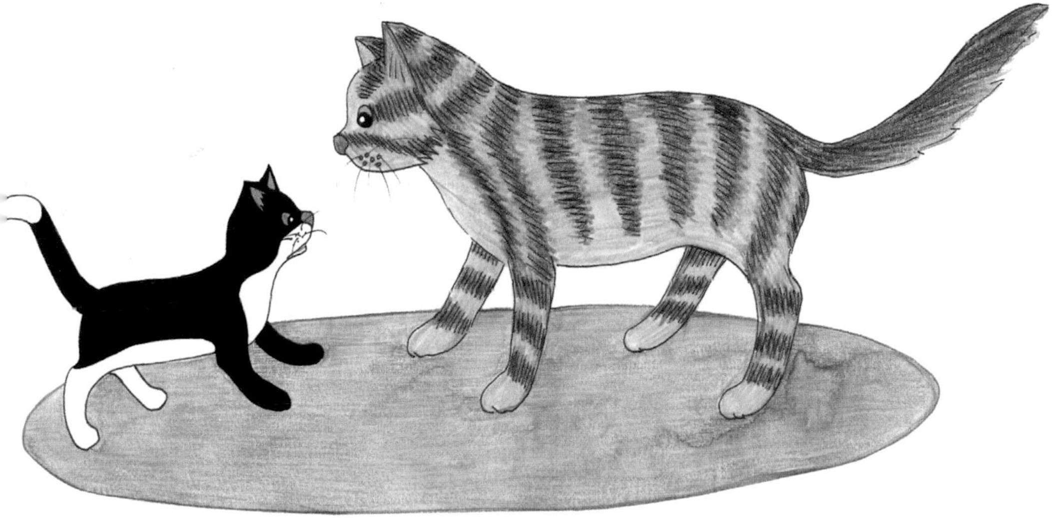

a cat and
a kitten

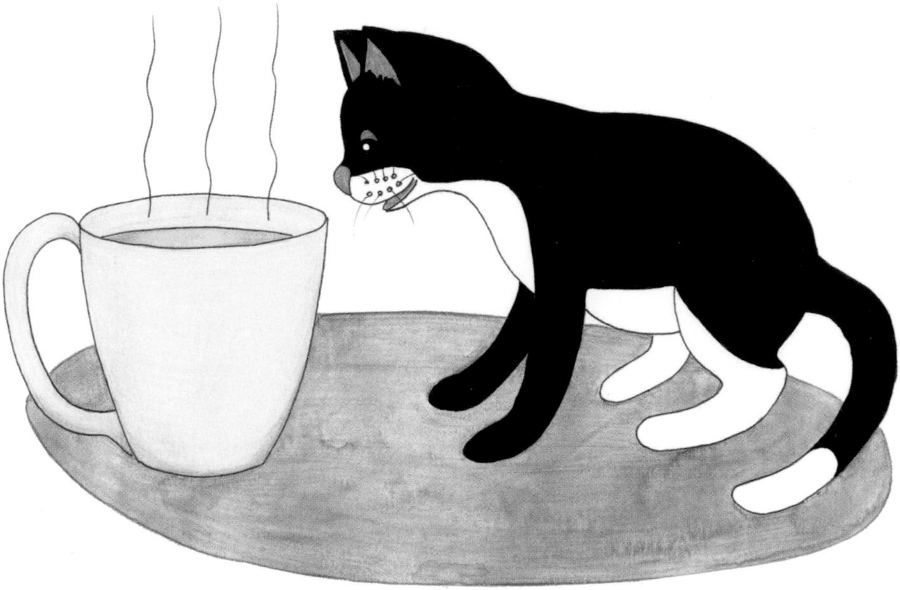

the kitten

and a cup

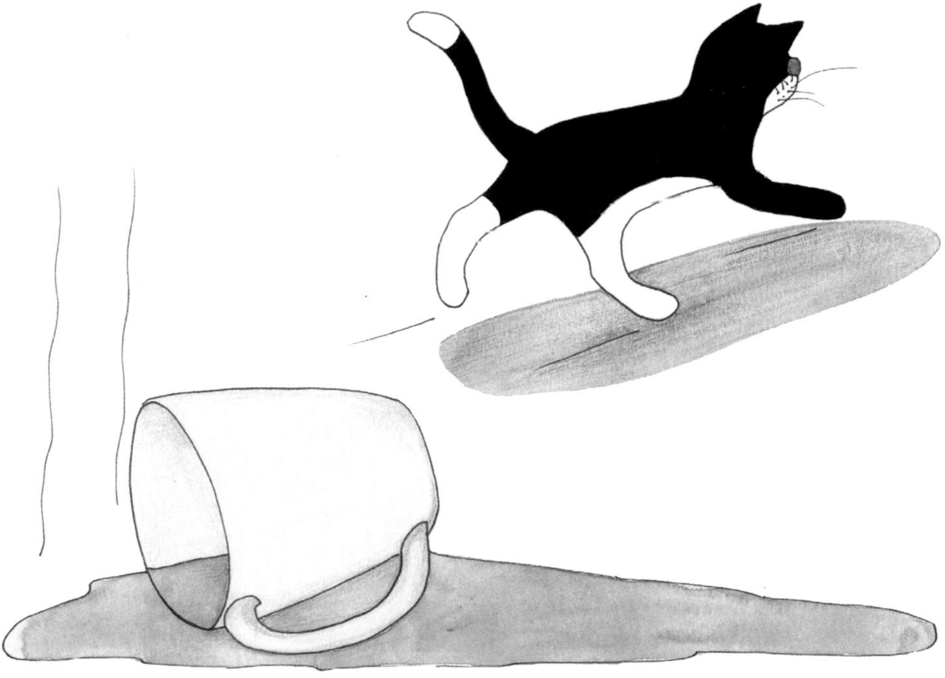

a hot cup

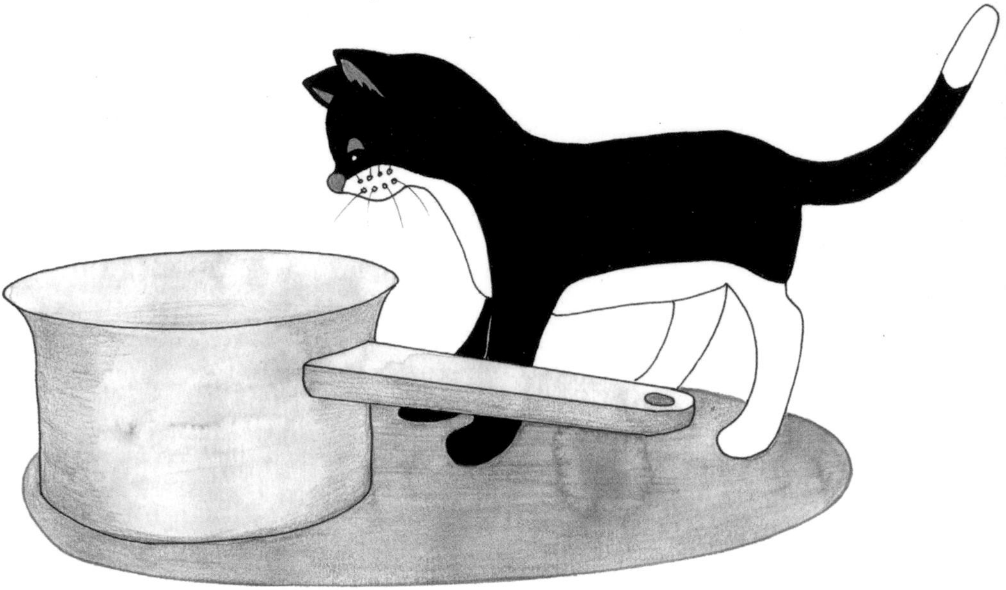

the kitten

and a pan

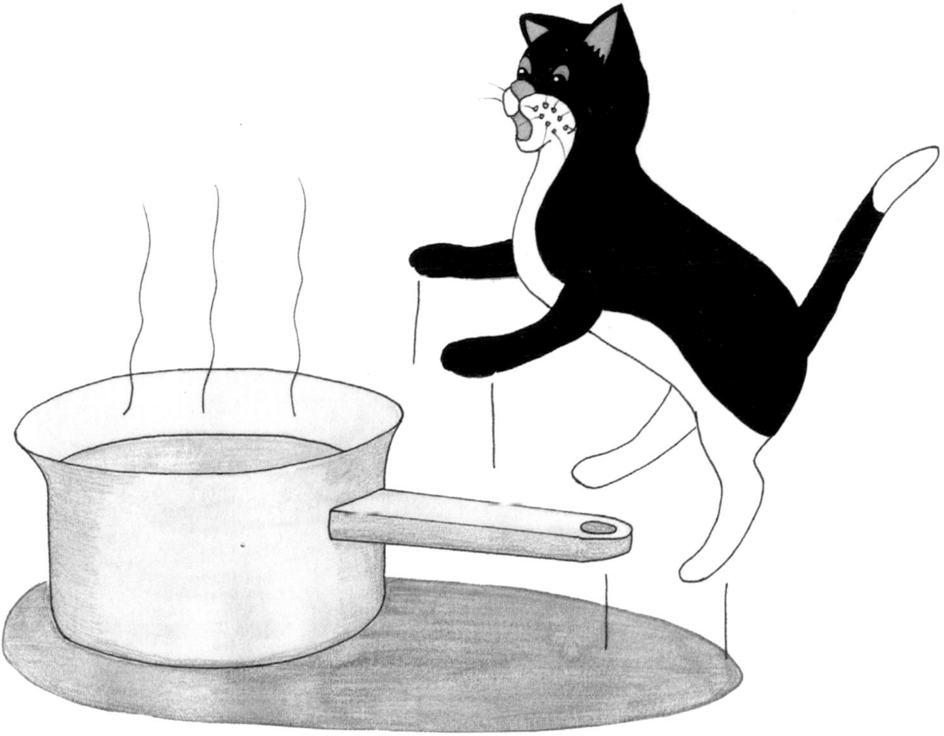

a hot pan

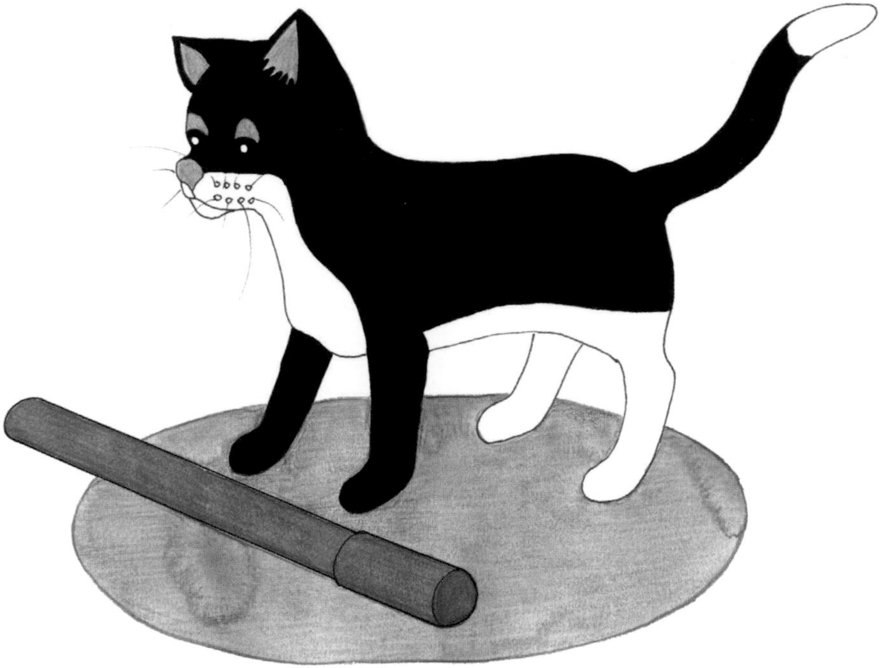

the kitten

and a pen

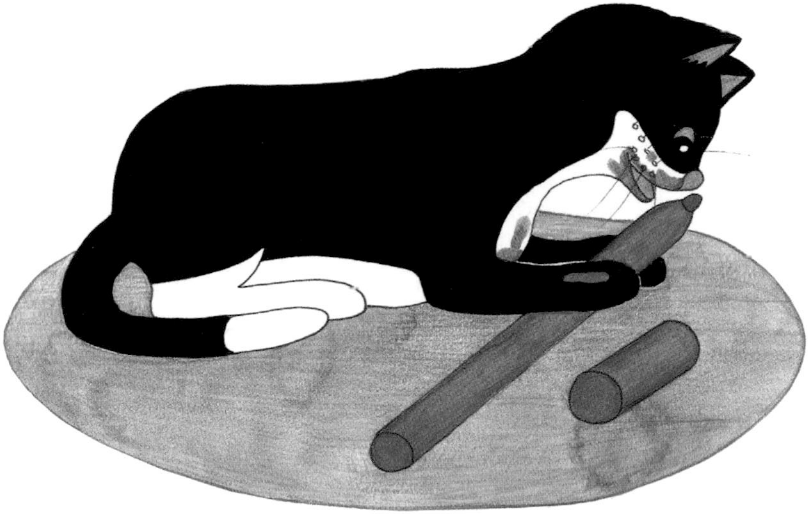

a red kitten

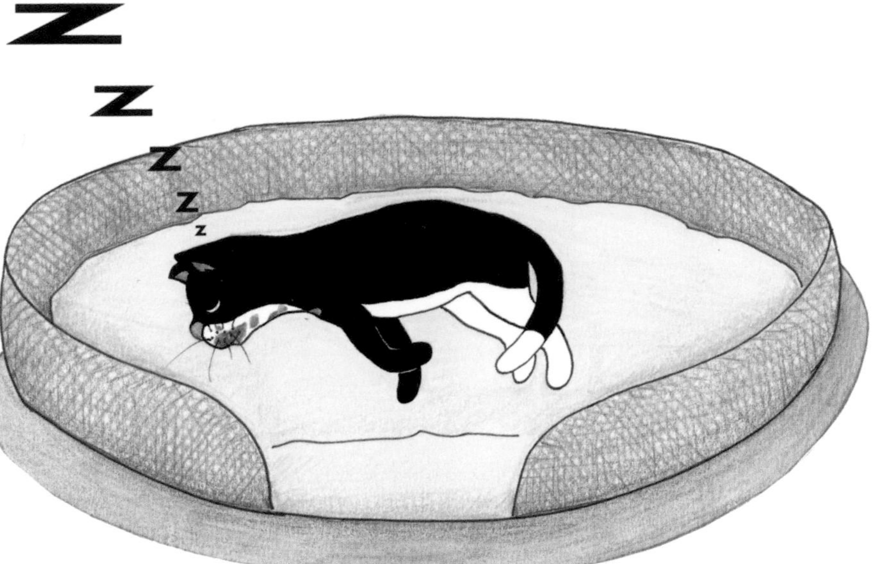

the kitten

on his bed